ro
ro
ro

Kressmann Taylor, von Beruf Werbetexterin und Mutter von drei Kindern, veröffentlichte neben «Adressat unbekannt» Mitte der dreißiger Jahre noch einen schmalen Roman.

Kressmann Taylor

Adressat unbekannt

Deutsch von Dorothee Böhm

Nachwort von Elke Heidenreich

Rowohlt Taschenbuch Verlag

17. Auflage 2011 – Veröffentlicht im Rowohlt Taschenbuch Verlag, Reinbek bei Hamburg, April 2002 – Der Text wurde zuerst 1938 im «Story Magazine», New York, veröffentlicht. – Die letzte amerikanische Ausgabe erschien 1995 unter dem Titel «Address Unknown» im Verlag Story Press Books, New York. – Umschlaggestaltung any.way, Cathrin Günther, unter Verwendung des amerikanischen Buchcovers von Claire Finney – Satz aus der Joanna, QuarkXPress 4.1 – Druck und Bindung CPI – Clausen & Bosse, Leck – Printed in Germany –
ISBN 978 3 499 23093 6

Das für dieses Buch verwendete FSC®-zertifizierte Papier *Lux Cream* liefert Stora Enso, Finnland.

Adressat unbekannt

Galerie Schulse-Eisenstein
San Francisco, Kalifornien, U.S.A.

12. November 1932

Herrn Martin Schulse
Schloß Rantzenburg
München, Deutschland

Mein lieber Martin,

nun bist Du also wieder in Deutschland. Wie sehr ich Dich beneide! Obwohl ich dieses Land seit meinen Studienzeiten nicht mehr gesehen habe, wirkt der Zauber von *Unter den Linden* noch immer auf mich – die geistige Freiheit, die Diskussionen, die Musik und die freundschaftliche Wärme. Inzwischen ist ja auch Schluß mit dem Junkergehabe, mit der preußischen Arroganz und dem Militarismus. Du findest ein demokratisches Deutschland vor, ein Land mit einer tief verwurzelten Kultur, in dem der Geist einer wunderbaren politischen Freiheit aufzublühen beginnt. Wie gut es sein muß, dort zu leben. Deine neue Adresse hat mich mächtig beeindruckt, und ich hoffe sehr, daß die Überfahrt für Elsa und die Sprößlinge angenehm und unbeschwerlich verlief.

Was mich betrifft, ich bin im Augenblick nicht so glücklich. Seit Eurer Abreise fühle ich mich besonders an den Sonntagvormittagen einsam – ein armer Junggeselle ohne Ziel. Mein amerikanischer Sonntag spielt sich jenseits des großen Meeres ab, das ich in Gedanken überspringe. Das große alte Haus auf dem Hügel, Dein warmherziger Willkommensgruß – ein Tag, den wir nicht gemeinsam verbringen, ist kein vollendeter Tag, versicherst Du mir. Und unsere liebe, fröhliche Elsa, die mir strahlend entgegenläuft und ruft: «Max, Max!», die mich an der Hand nimmt, mich ins Haus zieht und die Flasche mit meinem Lieblingsschnaps öffnet. Und Eure wunderbaren Jungen – vor allem Dein Heinrich, ein so schönes Kind; wenn ich ihn wiedersehen werde, wird er schon ein Mann sein.

Und diese Abendessen – kann ich hoffen, eines Tages noch einmal so zu speisen wie bei Euch? Jetzt gehe ich in ein Restaurant, und vor meinem einsamen Roastbeef habe ich Visionen von gebackenem Schinken in köstlich duftender Burgundersauce – und Spätzle, ah! Spätzle und Spargel! Nein, ich werde mich niemals mit meiner amerikanischen Kost abfinden. Und die Weine, die so behutsam von den deutschen Schiffen entladen wurden. Und unsere Trinksprüche, wenn die Gläser zum vierten, fünften, sechsten Mal bis zum Rand gefüllt wurden.

Natürlich hast Du recht daran getan, wieder nach Deutschland zu gehen. Du bist trotz Deines Erfolgs hier nie wirklich Amerikaner geworden, und jetzt, da die Galerie so gut eingeführt ist, ist es nur richtig, daß Du Deine kräftigen Jungs in ihrer Heimat zur Schule schickst. Und Elsa hat all die Jahre hindurch ihre Familie sehr vermißt, und ihre Verwandten sind bestimmt auch glücklich, Dich wiederzusehen. Der mittellose junge Künstler ist nun der Wohltäter der Familie geworden, auch dies wird Dir ein stiller, kleiner Triumph sein.

Das Geschäft läuft weiterhin ausgezeichnet. Mrs. Levine hat den kleinen Picasso zu unserem Preis gekauft, wozu ich mir selbst gratuliere, und die alte Mrs. Fleshman habe ich inzwischen so weit, daß sie immerhin mit dem Gedanken spielt, die abscheuliche Madonna zu erwerben. Niemand kommt auf die Idee, ihr zu sagen, ein Stück ihrer Sammlung sei häßlich, einfach weil alle so schrecklich sind. Aber mir geht Dein Geschick im Umgang mit den alten jüdischen Matronen ab. Ich kann sie durchaus von der Vorzüglichkeit einer Investition überzeugen, aber nur Du hattest diesen feinsinnigen Zugang zu einem Kunstwerk, der sie entwaffnet hat. Außerdem trauen sie wahrscheinlich niemals ganz einem anderen Juden.

Ich habe gestern einen wunderbaren Brief von Griselle bekommen. Sie schreibt, ich könne bald sehr stolz auf meine kleine Schwester sein. Sie hat die Hauptrolle in einem neuen Theaterstück, das in Wien aufgeführt wird, und die Kritiken sind hervorragend – die entmutigenden Jahre, die sie in kleinen Ensembles verbracht hat, beginnen Früchte zu tragen. Armes Kind, es war nicht leicht für sie, aber sie hat sich niemals beklagt. Sie besitzt Courage, zudem Schönheit und, wie ich hoffe, Talent. Sie erkundigt sich auch nach Dir, Martin, auf ganz freundschaftliche Weise. Es ist keine Bitterkeit bei ihr zurückgeblieben. Dieses Gefühl verblaßt in ihrem Alter schnell. Einige wenige Jahre genügen, und es bleibt nur mehr die Erinnerung an den Schmerz. Und natürlich traf keinen von Euch beiden die Schuld. Diese Dinge ereignen sich wie ein plötzlicher Sturm, einen Augenblick lang ist man durchnäßt und durchgeschüttelt, man fühlt sich vollkommen hilflos angesichts dieser Kraft. Doch dann kommt wieder die Sonne hervor, und obwohl man dieses Erlebnis nie mehr ganz vergißt, hinterläßt es nur Sanftheit, keinen Kummer. Es wäre Dir – ebensowenig wie mir – unter anderen Vorzeichen gar nicht passiert. Ich habe Griselle nicht geschrieben, daß Du in Europa bist, aber vielleicht sollte ich es tun, wenn Du es auch für klug hältst. Griselle schließt nicht leicht Freundschaften, und ich weiß, sie wäre froh, Freunde nicht weit entfernt von ihr zu wissen.

Vierzehn Jahre seit Kriegsende! Hast Du das Datum rot in Deinem Kalender markiert? Welch weiten Weg wir gegangen sind – wir als Völker – seit dieser so bitteren Erfahrung!

Mein lieber Martin, sei in Gedanken nochmals umarmt, und grüße Elsa und die Jungen aufs herzlichste von mir.

Dein wie immer treu ergebener
Max

Schloss Rantzenburg
München, Deutschland

10. Dezember 1932

Mr. Max Eisenstein
Galerie Schulse-Eisenstein
San Francisco, Kalifornien, U. S. A.

Max, mein teurer alter Gefährte,

die Abrechnungen und Kontoauszüge sind prompt bei mir eingetroffen, wofür ich Dir herzlich danke. Aber fühle Dich bitte nicht dazu verpflichtet, mir unsere Geschäfte in aller Ausführlichkeit darzulegen. Du weißt, daß ich mit allem einverstanden bin, was Du tust. Und ich bin hier in München mit meinen neuen Angelegenheiten mehr als ausgelastet. Wir sind nun eingerichtet, aber was war das für ein Aufstand! Wie Du weißt, hatte ich das Haus schon lange im Auge. Und ich habe es zu einem ausgesprochen günstigen Preis erworben. Dreißig Zimmer und ein viereinhalb Hektar großes Parkgrundstück. Du würdest Deinen Augen nicht trauen. Andererseits würdest Du die Armut mißbilligen, die in diesem traurigen Land, meinem Vaterland, herrscht. Die Bedienstetenwohnungen, die Ställe und Nebengebäude sind äußerst weitläufig, und Du wirst es nicht glauben, wir beschäftigen jetzt zehn Angestellte für dasselbe Gehalt, das wir unseren beiden Leuten in San Francisco bezahlt haben.

Die Wandteppiche und Kunstwerke, die wir aus Amerika mitgebracht haben, machen sich ausnehmend gut.

Dazu sind nun noch einige ausgesuchte Möbelstücke gekommen, die ich erstehen konnte. Ich denke, wir werden für dieses Haus sehr bewundert, um nicht zu sagen, wir werden darum beneidet. Ich habe vier vollständige Service aus feinstem Porzellan gekauft, einiges an Kristall und dazu noch ein komplettes Silberservice, das Elsa in Entzücken versetzt.

Ach, Elsa – sie ist zuweilen herrlich! Ich weiß, Du wirst mit mir darüber lachen können. Ich habe für sie ein riesiges Bett gekauft. Ein Bett von nie zuvor erreichten Ausmaßen, doppelt so breit wie ein gewöhnliches Doppelbett, mit hohen, geschnitzten Holzpfosten. Ich mußte die Laken eigens anfertigen lassen, weil es keine passenden in dieser Größe zu kaufen gab. Sie sind aus Leinen, Tücher aus allerfeinstem Leinen. Elsa lacht und lacht, und ihre alte Großmutter steht kopfschüttelnd daneben und grummelt: «Nein, Martin, nein. Was hast du bloß gemacht? Jetzt mußt du achtgeben, sonst wird sie so dick, daß sie in das Bett hineinpaßt.»

«Ja», antwortet Elsa, «noch fünf Jungen mehr, dann passe ich genau hinein, und es wird recht gemütlich.» Und genauso wird es kommen, Max.

Für die Jungen haben wir drei Ponys (die Kleinen, Karl und Wolfgang, sind noch nicht groß genug zum Reiten) und einen Hauslehrer. Ihr Deutsch ist sehr schlecht, viel zu sehr mit Englisch durchmischt.

Für Elsas Familie ist die Situation nicht ganz leicht jetzt. Die Brüder sind inzwischen alle berufstätig, und obwohl sie für ihre Arbeit sehr geschätzt werden, sind sie finanziell gezwungen, alle in einem Haus zu leben. In den Augen der Familie sind wir amerikanische Millionäre. Davon kann nun gar nicht die Rede sein, doch dank unseres amerikanischen Einkommens zählen wir hier zu den Vermögenden. Hochwertige Lebensmittel sind ausgesprochen teuer, und es gibt politische Unruhen, selbst jetzt noch, unter der Präsidentschaft Hindenburgs, eines feinsinnigen Liberalen, den ich sehr bewundere.

Alte Bekannte beginnen mich bereits zu bedrängen, ich solle mich für ein Amt in der Stadtverwaltung zur Verfügung stellen. Dieses Ansinnen will ich gern bedenken, denn es könnte uns hier von Nutzen sein, wenn ich mich in öffentlichen Angelegenheiten engagierte.

Was Dich angeht, mein guter Max, wir haben Dich allein gelassen, aber Du darfst kein Misanthrop werden. Sieh zu, daß Du schnell eine nette, dicke, kleine Frau findest, die sich um Dein Wohlergehen kümmert und Dich fleißig bekocht, bis sich Deine Laune wieder aufheitert. Dies ist mein Ratschlag, und er ist gut, obwohl ich lachen muß, während ich ihn niederschreibe.

Du berichtest von Griselle. Sie verdient ihren Erfolg so sehr, die Süße. Ich freue mich mit Dir, wenngleich ich mich sogar jetzt noch ärgere, daß sie sich ihren Weg erkämpfen muß, ein Mädchen allein. Jeder Mann erkennt auf Anhieb, daß sie ein Geschöpf ist, das für den Luxus erschaffen wurde, für Hingabe, für ein angenehmes und schönes Leben, dessen Behaglichkeit ihr den Freiraum zur Entfaltung ihrer Empfindsamkeit bietet. In ihren dunklen Augen spiegelt sich eine weiche, tapfere Seele, aber es gibt auch eine unerbittliche Stärke und etwas Wagemutiges in ihr. Sie ist eine Frau, die nichts leichtfertig macht oder gibt. Ach, Max, wie immer verrate ich mich selbst. Obwohl Du während unserer stürmischen Affäre geschwiegen hast, weißt Du, daß mir die Entscheidung nicht leichtgefallen ist. Du hast mir, Deinem Freund, nie einen Vorwurf gemacht, während Deine kleine Schwester litt. Und ich hatte immer das Gefühl, Du wußtest, daß auch ich litt, ganz furchtbar sogar.

Was konnte ich denn tun? Da waren Elsa und meine kleinen Söhne. Es gab keine andere Möglichkeit. Dennoch empfinde ich eine Zärtlichkeit für Griselle, die auch dann noch andauern wird, wenn sie längst einen viel jüngeren Mann gefunden hat, der sie lieben und heiraten wird. Die alte Wunde ist verheilt, aber die Narbe juckt zuweilen, mein Freund.

Ich bitte Dich, ihr unsere Adresse zu geben. Wir sind so nah an Wien, daß sie das Gefühl haben kann, nicht weit von ihr sei ein Zuhause für sie. Elsa weiß nichts von der alten Leidenschaft zwischen uns, und Du kannst Dir vorstellen, mit welcher Wärme sie Deine Schwester willkommen hieße – so, als hieße sie Dich willkommen.

Ja, Du mußt ihr sagen, daß wir hier wohnen, und dränge sie, so bald wie möglich mit uns Kontakt aufzunehmen. Gratuliere ihr bitte recht herzlich von uns zu ihrem schönen Erfolg.

Elsa bittet mich, Dir ihre besten Grüße auszurichten, und Heinrich brennt darauf, seinem Onkel Max «Hello» sagen zu können. Wir vergessen Dich nicht, Maxel.

Von ganzem Herzen der Deine
Martin

Galerie Schulse-Eisenstein
San Francisco, Kalifornien, U.S.A.

21. Januar 1933

Herrn Martin Schulse
Schloß Rantzenburg
München, Deutschland

Mein lieber Martin,

ich war froh, daß ich Griselle Deine Anschrift geben konnte. Sie wird sie alsbald bekommen – wenn sie sie nicht schon in Händen hält. Was für ein fröhliches Fest wird das, wenn sie Euch alle wiedersieht! Ich werde Euch in Gedanken begleiten, mit meinem ganzen Herzen, so, als wäre ich wirklich bei Euch.

Du erzählst von der Armut, die um Euch herum herrscht. Die Bedingungen waren diesen Winter auch hier nicht gut, aber das ist natürlich nichts, verglichen mit der Not in Deutschland.

Du und ich, wir haben Glück, daß die Galerie so beständig läuft. Sicherlich geben die Kunden im Augenblick weniger Geld für Kunst aus, aber selbst wenn wir nur halb soviel verkaufen wie früher, können wir immer noch sehr gut davon leben – nicht gerade verschwenderisch, aber sehr komfortabel. Die Ölgemälde, die Du mir geschickt hast, sind von ausgezeichneter Qualität und die Preise erstaunlich. Ich werde sie sicher umgehend mit einem erschreckenden Profit an die Kunden bringen können. Die gräßliche Madonna ist verkauft! Ja, an die alte Mrs. Fleshman. Mir stockte der Atem, als sie mit kunstverständigem Scharfblick den Wert des Bildes erkannte. Wie habe ich gezögert, einen Preis zu nennen! Sie hatte mich in Verdacht, einen anderen Kunden in der Hinterhand zu haben, also nannte ich eine unverschämte Summe. Sie stürzte sich darauf und grinste gerissen, als sie ihren Scheck ausstellte. Wie sehr ich frohlockt habe, als sie diese Scheußlichkeit hier raustrug, kannst nur Du ermessen.

Ach, Martin, ich schäme mich oft für die Freude, die ich empfinde, wenn ich solch bedeutungslose, kleine Triumphe erlebe. Du in Deutschland, mit Deinem Landsitz und Deinem Wohlstand, den Du Elsas Verwandten vorführst, und ich in Amerika, beglückt frohlockend, weil ich eine leichtgläubige alte Dame zum Kauf einer Monstrosität überredet habe. Was für schöne Höhepunkte für zwei vierzigjährige Männer! Ist das der Zweck unseres Lebens – Geld zu verdienen und den Gewinn dann öffentlich auszustellen? Ich geißle mich ständig, mache aber weiter wie zuvor. Nun ja, wir sind alle in der gleichen Tretmühle gefangen. Wir sind eitel und unehrlich, weil es notwendig ist, über andere eitle und unehrliche Menschen zu triumphieren. Wenn ich Mrs. Fleshman nicht unseren Schund verkaufe, wird ihr jemand anderes noch schlimmeren aufschwatzen. Wir müssen diese Zwänge akzeptieren.

Aber es gibt ein anderes Reich, in dem wir etwas Wahres finden können, die behagliche Atmosphäre im Haus eines Freundes, wo wir unsere kleinen Überheblichkeiten ablegen und Warmherzigkeit und Verständnis finden, wo billige Selbstsucht keinen Platz hat und Bücher, Wein und Gespräche dem Leben eine andere Bedeutung geben. Dort ist uns etwas gelungen, an das keine Falschheit heranreicht. Wir sind zu Hause.

Wer ist dieser Adolf Hitler, der in Deutschland augenscheinlich an die Macht strebt? Was ich über ihn lese, mag ich gar nicht.

Umarme die kleinen Strolche und unsere wunderbare Elsa von mir.

Wie immer herzlich Dein
Max

Schloss Rantzenburg
München, Deutschland

25. März 1933

Mr. Max Eisenstein
Galerie Schulse-Eisenstein
San Francisco, Kalifornien, U. S. A.

Lieber alter Max,

Du hast bestimmt von den neuen Ereignissen in Deutschland gehört und wirst wissen wollen, wie es sich für uns aus der Innensicht darstellt. Um die Wahrheit zu sagen, Max, ich glaube, daß Hitler in einiger Hinsicht gut für Deutschland ist, aber sicher bin ich mir nicht. Er führt nun als Kanzler die Regierungsgeschäfte, und ich denke, selbst Hindenburg könnte ihn jetzt nicht mehr stürzen, da er ja gewissermaßen gezwungen war, ihn an die Macht zu bringen. Der Mann ist wie ein elektrischer Schock, so stark, wie nur ein begnadeter Redner oder ein Fanatiker es sein kann. Aber ich frage mich, ob er richtig im Kopf ist. Seine Braunhemden sind nichts als Pöbel. Sie plündern und haben mit böser antijüdischer Hetze begonnen. Aber vielleicht sind dies nur Nebensächlichkeiten, der leichte Schaum an der Oberfläche, der entsteht, wenn eine große Bewegung zu sieden beginnt. Denn ich sage Dir, mein Freund, da ist eine Woge – eine mächtige Woge. Überall haben die Menschen eine Art Beschleunigung erfahren.

Du spürst es auf den Straßen und in den Geschäften. Sie haben die alte Verzweiflung abgestreift wie einen zerschlissenen Mantel. Die Menschen hüllen sich nicht länger in ihre Scham ein; sie haben wieder Hoffnung. Vielleicht wird diese Armut ein Ende haben. Irgend etwas – ich weiß nicht, was – wird geschehen. Ein Führer ist erkoren! Gleichwohl stelle ich mir selbst vorsichtig die Frage: ein Führer wohin? Überwundene Verzweiflung treibt die Menschen oftmals in törichte Richtungen.

Vor anderen Leuten äußere ich selbstverständlich keine Zweifel. Ich bin jetzt im öffentlichen Dienst und arbeite in der neuen Regierung. Also zeige ich mich lauthals erfreut. Von den Beamten treten alle, die ihre heile Haut zu schätzen wissen, schleunigst den Nationalsozialisten, der NSDAP, bei. Das ist der Name von Herrn Hitlers Partei. Aber das geschieht nicht nur aus Berechnung, da ist mehr, ein Gefühl, daß wir Deutschen unsere Bestimmung gefunden haben und die Zukunft in einer überwältigenden Welle auf uns zurollt. Wir müssen uns auch bewegen. Wir müssen mit ihr gehen. Auch jetzt geschieht noch Unrecht. Die SA-Trupps feiern im Augenblick Siege; blutig geschlagene Gesichter und gebrochene Menschen legen davon ein trauriges Zeugnis ab. Aber diese Dinge gehen vorüber. Wenn das Ziel am Ende richtig ist, verschwinden sie und sind vergessen. Die Geschichte wird auf ein weißes, neues Blatt geschrieben werden.

Die einzige Frage, die ich mir stelle – und nur Dir mitteile, niemand anderem hier kann ich mich anvertrauen –, lautet: Ist das Ziel richtig? Ist die Leitidee, der wir folgen, besser als eine andere? Denn Max, Du weißt, daß ich die Menschen meiner Rasse beobachtet habe, seit ich wieder in diesem Land bin, daß mir klargeworden ist, welche Qualen sie durchlitten haben, welche Jahre, in denen das Brot immer knapper wurde und ihre Körper abmagerten und sie schließlich jegliche Hoffnung begruben. Sie steckten bis zum Hals im Treibsand der Verzweiflung. Sie waren dem Sterben nahe, doch dann kam ein Mann, reichte ihnen die Hand und zog sie heraus. Alles, was sie jetzt wissen, ist, sie werden nicht sterben. Sie befinden sich in einem hysterischen Befreiungsrausch, sie beten ihn beinahe an, diesen Mann. Doch jedem anderen Retter gegenüber hätten sie sich genauso verhalten. Dem Herrn sei Dank, daß es ein wahrer Führer ist und nicht ein Engel des Todes, dem sie so freudig folgen. Max, nur Dir allein kann ich eingestehen, daß ich zweifle. Ich hege Zweifel, aber ich hoffe.

Aber nun genug der Politik. Wir erfreuen uns an unserem Haus und haben schon einige Gesellschaften gegeben. Heute wird der Bürgermeister unser Gast sein, ein Abendessen für achtundzwanzig Personen. Wir geben wahrscheinlich ein bißchen an, vielleicht, aber das sei uns verziehen. Elsa hat ein neues Abendkleid aus blauem Samt und befindet sich in einem Zustand schierer Verzweiflung, weil sie fürchtet, daß es zu eng sein könnte. Sie ist wieder schwanger. Dies ist der beste Weg, um eine Frau friedlich zu stimmen. Halte sie mit Babys beschäftigt, so daß sie keine Zeit hat zu nörgeln.

Unser Heinrich hat eine gesellschaftliche Eroberung gemacht. Er reitet mit seinem Pony aus und läßt sich von ihm abwerfen. Wer geht hin, um den Jungen aufzuheben?

Baron von Freische. Die beiden unterhalten sich lange über Amerika, ein paar Tage später ruft der Baron an, und wir treffen uns zu einem Kaffee. Nächste Woche ist Heinrich bei den von Freisches zum Mittagessen eingeladen. Was für ein Kerl! Es ist zu schade, daß sein Deutsch nicht besser ist, aber er ist für jeden eine Freude.

So geht unser Leben weiter, mein Freund. Vielleicht nehmen wir an großen Ereignissen teil, vielleicht bleiben wir aber auch innerhalb unseres kleinen Familienkreises. Was wir jedoch niemals aufgeben, das ist die Wahrhaftigkeit der Freundschaft, von der Du so bewegend sprichst. Unsere Herzen reisen über den Ozean zu Dir. Wenn die Gläser gefüllt sind, stoßen wir an: «Auf Onkel Max.»

Mit herzlichsten Grüßen
Dein Martin

Galerie Schulse-Eisenstein
San Francisco, Kalifornien, U.S.A.

18. Mai 1933

Herrn Martin Schulse
Schloß Rantzenburg
München, Deutschland

Lieber Martin,

ich bin in Sorge über die Flut der Presseberichte über Dein Vaterland, die zu uns herüberschwappt. Da wir lauter widersprüchliche Geschichten erfahren, wende ich mich natürlich mit der Bitte um Aufklärung an Dich. Ich bin mir sicher, die Dinge können nicht so schlimm sein, wie sie dargestellt werden. Ein schreckliches Pogrom, so lautet die übereinstimmende Meinung der amerikanischen Zeitungen.

Ich weiß, daß Dein liberaler Geist und Dein mitfühlendes Herz keine Bösartigkeiten tolerieren würden und daß ich von Dir die Wahrheit erfahren werde. Aaron Silbermans Sohn ist gerade aus Berlin zurückgekehrt, und wie ich hörte, ist er nur mit knapper Not davongekommen. Die Geschichten, die er erzählt, klingen alles andere als schön. Er hat Mißhandlungen mit angesehen; jemandem wurde fast ein Liter Rizinusöl durch die zusammengepreßten Zähne eingeflößt, der dann in den folgenden Stunden unter den Qualen berstender Gedärme einen langsamen, fürchterlichen Tod starb. Vielleicht haben sich diese Ereignisse wirklich zugetragen und sind, wie Du gesagt hast, nur das brutale Oberflächengekräusel einer humanen Revolution, doch für uns Juden gehören sie zu einer vertrauten, traurigen Geschichte, die sich seit Jahrhunderten wiederholt, und es ist kaum zu glauben, daß das alte Martyrium heutzutage in einem zivilisierten Land erduldet werden muß. Schreibe mir, mein Freund, und gib mir meinen Seelenfrieden zurück.

Griselles Stück wird nach dem großen Erfolg wohl gegen Ende Juni vom Spielplan abgesetzt. Sie schreibt, ihr sei eine andere Rolle in Wien und auch eine sehr reizvolle in Berlin für den Herbst angeboten worden. Sie spricht hauptsächlich von diesem zweiten Angebot, aber ich habe ihr geschrieben, sie möchte doch warten, bis die antisemitische Welle abflaut.

Natürlich benutzt sie einen anderen, nichtjüdischen Künstlernamen (Eisenstein wäre für die Bühne sowieso unmöglich), aber es ist nicht nur ihr Name, der ihre Herkunft verrät. Auch ihre Gesichtszüge, ihre Gesten, ihre gefühlsreiche Stimme weisen sie als Jüdin aus, gleichgültig, wie sie sich nennt. Und wenn diese Bewegung tatsächlich Kraft besitzt, tut Griselle besser daran, im Augenblick nicht nach Deutschland zu gehen.

Mein Freund, verzeih diesen zerstreuten und kurzen Brief, aber ich finde keinen Frieden, bevor Du mich nicht beruhigt hast. Ich weiß, Du wirst mir in aller Aufrichtigkeit antworten. Ich bitte Dich inständig, mir so rasch wie möglich zu schreiben.

Mit den innigsten Beteuerungen meines Vertrauens in Dich und meiner Freundschaft zu Dir und den Deinen verbleibe ich wie immer

Dein treuer Max

Deutsch-Völkische Bank und Handelsgesellschaft, München

9. Juli 1933

Mr. Max Eisenstein
Galerie Schulse-Eisenstein
San Francisco, Kalifornien, U. S. A.

Lieber Max,

wie Du sehen kannst, schreibe ich auf dem Geschäftspapier meiner Bank. Dies ist notwendig, denn ich habe eine Bitte an Dich und möchte dabei die neue Zensur umgehen, die äußerst streng ist. Wir müssen für den Augenblick aufhören, uns zu schreiben. Selbst wenn ich kein offizielles Amt bekleidete, wäre es für mich unmöglich, mit einem Juden zu korrespondieren. Sollte ein Kontakt unumgänglich sein, dann lege den Brief den Bankauszügen bei. Schreibe mir nicht mehr an meine Privatadresse.

Was die strikten Maßnahmen betrifft, die Dich so mit Sorge erfüllen: Ich mochte sie zu Beginn auch nicht, doch ist mir inzwischen ihre schmerzliche Notwendigkeit klargeworden. Die jüdische Rasse ist ein Schandfleck für jede Nation, die ihr Unterschlupf gewährt. Ich habe niemals den einzelnen Juden gehaßt – ich habe Dich immer als einen Freund geschätzt, aber Du weißt, daß ich mit aller Aufrichtigkeit spreche, wenn ich sage, daß ich Dir nicht wegen, sondern trotz Deiner Rasse gewogen war.

Der Jude ist überall und zu allen Zeiten der Sündenbock. Das geschieht nicht ohne Grund, und ich meine damit nicht den alten «Christusmörder»-Aberglauben, der das Mißtrauen gegen die Juden nährt. Im übrigen ist dieser Ärger mit den Juden letztlich nur eine Nebensache. Etwas viel Größeres ereignet sich gerade.

Wenn ich sie Dir nur zeigen, wenn ich sie Dir nur vor Augen führen könnte – die Wiedergeburt dieses neuen Deutschland unter unserem gütigen Führer! Die Welt kann nicht auf ewig ein großes Volk unterdrücken und unterjochen. Vierzehn Jahre lang haben wir unseren Kopf unter der Schmach der Niederlage gebeugt. Wir haben das bittere Brot der Scham und die dünne Suppe der Armut gegessen. Aber jetzt sind wir freie Menschen. Wir erheben uns in voller Kraft und senken nicht länger unseren Blick vor den anderen Nationen. Wir reinigen unseren Blutstrom von den minderwertigen Elementen. Singend wandern wir durch unsere Täler, und unsere starken Muskeln erbeben, wenn es neue Aufgaben zu bewältigen gilt – und von den Bergen ertönen die Stimmen Wodans und Thors, der alten, starken Götter der nordischen Rasse.

Aber nein. Während ich dies schreibe und spüre, wie mein Enthusiasmus für die neuen Visionen entflammt, weiß ich zugleich, daß Du nicht verstehen wirst, wie notwendig all das für Deutschland ist. Du wirst nichts anderes sehen, als daß Dein Volk in Bedrängnis ist. Du wirst nicht einsehen, daß einige wenige leiden müssen, damit Millionen gerettet werden. Du bist in erster Linie Jude und wirst um Dein Volk jammern. Das verstehe ich. Das liegt in der Natur des semitischen Charakters. Ihr lamentiert immer, aber ihr seid niemals tapfer genug, zurückzuschlagen. Deshalb gibt es Pogrome.

Ach ja, Max, ich weiß, das wird Dir weh tun, aber Du mußt der Wahrheit ins Gesicht schauen. Es gibt Bewegungen, die sind weit größer als die Männer, die sie tragen. Und ich bin ein Teil dieser Bewegung. Heinrich ist Pimpf in einem Jungzug, der von Baron von Freische geführt wird. Von Freisches Rang verleiht unserem Haus jetzt Glanz. Er ist häufig zu Gast bei uns und besucht Heinrich und Elsa, die er sehr bewundert. Ich selbst stecke bis über beide Ohren in Arbeit. Elsa kümmert sich wenig um Politik, nur unseren großen Führer verehrt sie zutiefst. Seit einem Monat fühlt sie sich rasch erschöpft. Vielleicht waren die Pausen zwischen den Schwangerschaften zu kurz. Es wird ihr sicher bessergehen, wenn das Kind geboren ist.

Ich bedaure es sehr, daß unser Briefwechsel auf diese Weise sein Ende findet, Max. Vielleicht begegnen wir uns eines Tages wieder auf einem Terrain, auf dem wir ein besseres gegenseitiges Verständnis entwickeln können.

Wie immer Dein
Martin Schulse

Galerie Schulse-Eisenstein
San Francisco, Kalifornien, U.S.A.

1. August 1933

Herrn Martin Schulse
(durch freundliche Übermittlung von J. Lederer)
Schloß Rantzenburg
München, Deutschland

Martin, mein alter Freund,

ich übergebe diesen Brief den treuen Händen Jimmy Lederers, der auf seiner Europareise in Kürze in München Station machen wird. Ich finde nach dem letzten Brief, den Du mir geschickt hast, keine Ruhe mehr. Diese Worte klangen so wenig nach Dir, daß ich den Inhalt nur Deiner Angst vor der Zensurstelle zuschreiben kann. Der Mann, den ich wie einen Bruder geliebt habe, dessen Herz immer vor Sympathie und Freundschaft übersprudelte, kann doch unmöglich, und sei es in untätiger Mitläuferschaft, an der Abschlachtung eines unschuldigen Volkes teilhaben. Ich vertraue Dir und bete, daß ich Deine Lage richtig verstehe. Ich erwarte keine ausführliche Erklärung von Dir, die Dich in Schwierigkeiten bringen könnte – nur ein einfaches «Ja». Das wird mir sagen, daß Du den notwendigen opportunistischen Part spielst, aber daß Dein Herz sich nicht gewandelt hat, daß ich mich nicht in meinem Glauben getäuscht habe, Du seist immer ein Mann von feinem, liberalem Geist gewesen, für den das Falsche falsch bleibt, in wessen Namen auch immer es verübt wird.

Diese Zensur, diese Verfolgung aller Menschen mit liberalen Ansichten, die Bücherverbrennungen und die Korruptheit der Universitäten hätten Deinen Widerspruch hervorgerufen, auch wenn keinem einzigen Angehörigen meiner Rasse ein Haar gekrümmt worden wäre. Du bist ein Liberaler, Martin. Du hast immer mit Weitblick gedacht. Ich weiß, daß Du Dich in Deiner klaren Geisteshaltung nicht von einer populistischen Strömung mitreißen läßt. Diese Volksbewegung hat, so stark sie auch sein mag, etwas abgrundtief Schlechtes an sich.

Ich verstehe wohl, warum die Deutschen Hitler zujubeln. Sie reagieren auf die Ungerechtigkeiten, die sie seit dem Desaster des Krieges erlitten haben. Aber Du, Martin, hast seit dem Krieg im Grunde wie ein Amerikaner gelebt. Ich weiß, es war nicht mein Freund, der mir diesen Brief geschrieben hat. Es wird sich herausstellen, daß es nur die Stimme der Vorsicht und des Opportunismus war.

Ungeduldig erwarte ich dieses eine Wort, das meiner Seele ihren Frieden zurückgeben wird. Schreibe schnell Dein «Ja».

Alles Liebe für Euch,
Max

Deutsch-Völkische Bank und Handelsgesellschaft, München

18. August 1933

Mr. Max Eisenstein
Galerie Schulse-Eisenstein
San Francisco, Kalifornien, U. S. A.

Lieber Max,

ich habe Deinen Brief erhalten. Die Antwort lautet «Nein». Du bist ein sentimentaler Mensch. Du willst nicht verstehen, daß nicht alle Menschen nach Deinem Muster geschnitten sind. Du beklebst sie mit netten, kleinen Schildchen, zum Beispiel «liberal», und erwartest dann, daß sie sich entsprechend Deinen Vorstellungen verhalten. Aber Du täuschst Dich. So, ich soll also ein amerikanischer Liberaler sein? Nein! Ich bin ein deutscher Patriot.

Ein Liberaler ist ein Mann, der nicht an die Tat glaubt. Ein Schwadronierer, der sich über die Menschenrechte ausläßt, aber nichts tut, außer darüber zu reden. Ein Liberaler macht gern viel Wind um die Redefreiheit, und was ist Redefreiheit? Nichts als die Möglichkeit, bequem auf seinem Hinterteil zu sitzen und zu behaupten, alles, was die tätigen Menschen unternehmen, sei falsch. Gibt es etwas Wirkungsloseres als die Liberalen? Ich kenne sie gut, die Liberalen, denn ich bin selbst einer gewesen. Sie verurteilen eine passive Regierung, weil sie nichts verändert. Aber laß einen starken Mann an die Macht kommen, laß einen tatkräftigen Mann mit den Veränderungen beginnen, wo ist er dann, Dein Liberaler? Er ist dagegen. Für einen Liberalen ist jede Veränderung die falsche.

Er nennt das die «langfristige Perspektive», aber es ist lediglich die schiere Angst, er müsse selbst etwas tun. Er liebt Worte und hochtönende Gebote, doch für die Männer, die die Welt zu dem machen, was sie ist, erweist er sich als nutzlos. Die Macher, das sind die einzig wichtigen Männer. Und hier in Deutschland ist ein Mann der Tat an die Macht gekommen. Ein energischer Mann, der die Dinge anpackt. Die Geschichte eines ganzen Volkes hat sich innerhalb einer Minute verändert, weil der Mann der Tat gekommen ist. Und ich schließe mich ihm an. Ich werde nicht bloß von einer Strömung mitgerissen. Ich schüttle das bedeutungslose Leben ab, das nur in Reden bestand und keine tätige Vollendung kannte. Ich richte mich auf und stelle mich mit meiner ganzen Kraft hinter die große, neue Bewegung. Ich bin ein Mann, weil ich handle. Davor war ich nur eine Stimme. Ich stelle den Zweck unseres Handelns nicht in Frage. Das ist nicht nötig. Ich weiß, es ist gut, weil es eine ungeheure Vitalität freisetzt. Menschen, die so viel Freude und Eifer verströmen, werden nicht in schlechte Dinge hineingezogen.

Du sagst, wir verfolgten liberal denkende Menschen, wir plünderten Bibliotheken. Du solltest aus Deinen abgestandenen Sentimentalitäten erwachen. Verschont der Chirurg den Krebs, nur weil er ihn wegschneiden muß, um ihn zu entfernen? Wir sind grausam. Natürlich sind wir grausam. So wie jede Geburt grausam ist, so ist es auch diese neue Geburt unserer selbst. Aber wir erleben eine große Freude. Deutschland erhebt wieder sein Haupt im Kreise der Nationen dieser Welt. Deutschland folgt seinem Führer in den Triumph. Was verstehst Du schon davon, der Du nur dasitzt und träumst? Du hast nie einen Hitler kennengelernt. Er ist ein frisch geschliffenes Schwert. Er ist ein weißes Licht, aber so glühend heiß wie die Sonne eines neuen Tags.

Ich muß darauf bestehen, daß Du mir nicht mehr schreibst. Wir sind keine Freunde mehr, das müssen wir beide anerkennen.

Martin Schulse

Galerie Eisenstein
San Francisco, Kalifornien, U.S.A.

5. September 1933

Herrn Martin Schulse
c/o Deutsch-Völkische Bank
und Handelsgesellschaft
München, Deutschland

Lieber Martin,

beigelegt findest Du Deinen Kontoauszug und die Monatsabrechnungen. Es ist notwendig, daß ich Dir eine kurze Nachricht schicke. Griselle ist nach Berlin gegangen. Sie ist zu wagemutig. Aber sie hat so lange auf den Erfolg gewartet, daß sie jetzt nicht darauf verzichten wird, und sie lacht über meine Ängste. Sie wird am König-Theater spielen.

Du bist Parteimitglied und bekleidest ein öffentliches Amt. Um unserer alten Freundschaft willen bitte ich Dich inständig, auf sie aufzupassen. Fahre nach Berlin, wenn Du es ermöglichen kannst, und schaue, ob sie in Gefahr ist.

Ich nehme an, es wird Dir mißfallen, daß ich mich gezwungen gesehen habe, Deinen Namen aus dem Galerienamen zu entfernen. Aber Du weißt, wer unsere wichtigsten Kunden sind. Sie würden jetzt niemals etwas anrühren, das aus einer Firma mit deutschem Namen kommt.

Über Deine neue Haltung kann ich nicht diskutieren.

Aber Du mußt mich verstehen. Ich hatte nicht erwartet, daß Du für mein Volk zur Waffe greifen würdest, weil es mein Volk ist, sondern weil Du ein Mann warst, der die Gerechtigkeit liebte.

Ich vertraue Dir meine unbesonnene Griselle an. Das Kind sieht nicht, in welche Gefahr es sich begibt. Ich werde Dir nicht mehr schreiben.

Auf Wiedersehen, mein Freund,

Max

Galerie Eisenstein
San Francisco, Kalifornien, U.S.A.

5. November 1933

Herrn Martin Schulse
c/o Deutsch-Völkische Bank
und Handelsgesellschaft
München, Deutschland

Martin,

ich schreibe Dir noch einmal, weil mir kein anderer Ausweg bleibt. Eine dunkle Vorahnung hat von mir Besitz ergriffen. Sobald ich wußte, daß Griselle in Berlin angekommen war, habe ich ihr geschrieben. Sie antwortete auch kurz, die Proben verliefen hervorragend und das Stück habe bald Premiere. Mein zweiter Brief war aufmunternder Natur, ohne ängstliche Warnungen, und er wurde mir ungeöffnet, mit einem Stempel «Adressat unbekannt» zurückgesandt. Welche Dunkelheit diese Worte bergen! Wie kann sie unbekannt sein? Es handelt sich bestimmt um die Mitteilung, daß ihr etwas zugestoßen ist. Sie wissen, was mit ihr geschehen ist, das sagen diese gestempelten Briefe, nur ich soll es nicht erfahren. Sie hat sich in eine Art Leere aufgelöst, und es ist sinnlos, sie zu suchen. All das sagen sie mir mit zwei Worten: «Adressat unbekannt».

Martin, muß ich Dich ausdrücklich bitten, sie zu finden, ihr beizustehen? Du hast ihre Anmut gekannt, ihre Schönheit und Zartheit. Sie hat Dir ihre Liebe geschenkt, keinem anderen Mann außer Dir. Versuche nicht, mir zu schreiben. Ich weiß, ich brauche Dich um Deine Hilfe noch nicht einmal zu bitten. Es genügt, Dir zu sagen, daß etwas Schlimmes passiert ist, daß sie in Gefahr schwebt.

Ich gebe sie in Deine Hände, denn ich kann ihr nicht zur Seite stehen.

Max

Galerie Eisenstein
San Francisco, Kalifornien, U.S.A.

23. November 1933

Herrn Martin Schulse
c / o Deutsch-Völkische Bank
und Handelsgesellschaft
München, Deutschland

Martin,

in großer Verzweiflung wende ich mich an Dich. Ich konnte nicht noch einen weiteren Monat warten, also sende ich Dir einige Unterlagen, Deine Investitionen betreffend. Unter Umständen möchtest Du hier und da Änderungen vornehmen, und ich kann so meine Bitte einem Bankbrief beilegen.

Es geht um Griselle. Seit zwei Monaten habe ich keine Nachricht von ihr erhalten, und nun dringen auch noch Gerüchte an mein Ohr. Von jüdischem Mund zu jüdischem Mund weitergetragen, gelangen allmählich Berichte aus Deutschland zu uns herüber, Geschichten so voller Schrecken, daß ich meine Ohren verschließen würde, wenn ich es könnte, aber ich kann nicht. Ich muß wissen, was ihr zugestoßen ist. Ich muß mir Gewißheit verschaffen.

Sie ist eine Woche lang in dem Berliner Theaterstück aufgetreten. Dann wurde sie vom Publikum als Jüdin verhöhnt. Sie ist so dickköpfig, so tollkühn, das wunderbare Kind! Sie hat ihnen das Wort in ihre Münder zurückgeworfen. Sie sagte ihnen stolz, ja, sie *sei* Jüdin.

Ein paar Zuschauer sprangen von ihren Sitzen auf und wollten sie ergreifen. Sie rannte hinter die Bühne. Jemand muß ihr geholfen haben, denn es gelang ihr, dem ganzen Pack, das ihr auf den Fersen klebte, zu entkommen. Einige Tage lang ist sie in einem Keller bei einer jüdischen Familie untergetaucht. Dann hat sie, soweit das möglich war, ihr Aussehen verändert und sich nach Süden aufgemacht. Sie hoffte augenscheinlich, sich zu Fuß zurück nach Wien durchschlagen zu können, denn sie wagte es nicht, die Eisenbahn zu benutzen. Sie sagte zu den Leuten, von denen sie sich verabschiedete, sie wäre in Sicherheit, wenn sie bei Freunden in München ankäme. Das ist meine Hoffnung, daß sie sich an Dich gewandt hat, denn in Wien ist sie nie eingetroffen. Schreib mir ein Wort, Martin, und wenn sie nicht zu Dir gekommen ist, ziehe doch einige vorsichtige Erkundigungen ein, sofern es in Deiner Macht steht. Ich finde keine Ruhe mehr. Ich quäle mich Tag und Nacht, sehe das tapfere kleine Ding mühselig all die vielen Kilometer durch ein feindliches Land wandern, und bald beginnt der Winter. Gott gebe, Du könntest mir ein Wort der Erleichterung senden.

Max

Deutsch-Völkische Bank und Handelsgesellschaft, München

8. Dezember 1933

Mr. Max Eisenstein
Galerie Eisenstein
San Francisco, Kalifornien, U. S. A.

Heil Hitler! Ich bedaure sehr, Dir schlechte Nachrichten übermitteln zu müssen. Deine Schwester ist tot. Unglücklicherweise war sie – so wie Du selbst gesagt hast – wirklich verrückt. Vor knapp einer Woche kam sie hier an, verfolgt von einem Haufen SA-Leuten. Bei uns ging es sehr hektisch zu – seit der Geburt des kleinen Adolf im letzten Monat steht es um Elsas Gesundheit nicht zum besten. Der Arzt und zwei Krankenschwestern waren hier, alle Bediensteten und die Kinder hasteten durchs Haus.

Wie der Zufall es will, bin ich es, der die Tür öffnet. Erst denke ich, eine alte Frau stünde vor mir, doch dann schaue ich ihr ins Gesicht, und dann sehe ich, daß die SA gerade durch das Parktor gerannt kommt. Kann ich sie verstecken? Die Chancen stehen eins zu tausend. Jeden Moment kann einer der Angestellten herbeieilen. Kann ich es verantworten, daß das Haus durchsucht wird, während Elsa krank im Bett liegt? Kann ich es wirklich riskieren, festgenommen zu werden und alles zu verlieren, was ich hier aufgebaut habe, weil ich einer Jüdin Unterschlupf gewähre? Natürlich habe ich als Deutscher eine unmißverständliche Pflicht. Sie hat auf der Bühne ihren jüdischen Körper vor reinen, jungen deutschen Männern zur Schau gestellt. Ich sollte sie festhalten und dem SA-Trupp übergeben. Aber das bringe ich nicht über mich.

«Du wirst uns alle ins Verderben stürzen, Griselle», sage ich zu ihr. «Lauf zurück, tiefer in den Park hinein.» Sie schaut mich an, lächelt (sie war immer ein tapferes Mädchen) und trifft ihre eigene Entscheidung.

«Ich will dir keinen Schaden zufügen, Martin», sagt sie und rennt die Stufen hinunter und dann auf die Bäume zu. Aber sie muß müde gewesen sein. Sie läuft nicht sehr schnell, und die Männer der SA haben sie entdeckt. Ich bin hilflos. Ich gehe ins Haus, und nach wenigen Minuten hört sie auf zu schreien. Am nächsten Morgen habe ich den Leichnam ins Dorf zur Beisetzung bringen lassen. Es war verrückt von ihr, nach Deutschland zu kommen. Arme kleine Griselle. Ich trauere mit Dir, aber wie Du sehen kannst, war ich außerstande, ihr beizustehen.

Ich muß Dich nun ernsthaft bitten, keinen Kontakt mehr mit mir aufzunehmen. Jedes Schreiben, das zu Hause eintrifft, wird von der Zensur geprüft, und ich vermag nicht zu sagen, wann sie beginnen, auch die Briefe an die Bank zu öffnen. Und ich werde auch keine Geschäfte mehr mit Juden machen, mit Ausnahme der Geldeingangsbestätigung. Es ist für mich nicht gut, daß eine Jüdin zu mir geflüchtet ist, um Unterschlupf zu finden. Weitere Verbindungen sind inakzeptabel.

Ein neues Deutschland beginnt Gestalt anzunehmen. Unter unserem glorreichen Führer werden wir der Welt bald großartige Dinge zeigen.

Martin

CABLEGRAM

MUENCHEN,
2. JANUAR 1934

MARTIN SCHULSE

AKZEPTIERE DEINE BEDINGUNGEN BILANZ VOM ZWOELFTEN NOVEMBER WEIST DREIZEHN PROZENT STEIGERUNG AUF ZWEITER FEBRUAR VIERFACH BESTAETIGT GEMEINSCHAFTSAUSSTELLUNG ERSTER MAI TREFFE VORBEREITUNGEN ZUR ABREISE NACH MOSKAU FALLS SICH MARKT UNERWARTET OEFFNET FINANZIELLE INSTRUKTIONEN AN NEUER ADRESSE HINTERLEGT

EISENSTEIN

Galerie Eisenstein
San Francisco, Kalifornien, U.S.A.

3. Januar 1934

Herrn Martin Schulse
Schloß Rantzenburg
München, Deutschland

Lieber, von uns allen geschätzter Martin,

bitte vergiß nicht Großmutters Geburtstag. Am 8. wird sie 64. Amerikanische Betriebe werden für Deine Gesellschaft Junger Deutscher Maler 1000 Pinsel liefern. Mandelberg ist dem Verein auch beigetreten. Schicke am 25., jedoch nicht früher, 11 Picasso-Reproduktionen, 20 auf 90, an angeschlossene Galerien. Rote und blaue sollten überwiegen. Wir können Dir im Augenblick für diese Transaktion $ 8000 auszahlen. Beginne neues Rechnungsbuch 2.

Unsere Gebete begleiten Dich jeden Tag, lieber Bruder,

Eisenstein

Galerie Eisenstein
San Francisco, Kalifornien, U.S.A.

17. Januar 1934

Herrn Martin Schulse
Schloß Rantzenburg
München, Deutschland

Martin, lieber Bruder,

gute Nachrichten! Vor fünf Tagen hat unser Depot 116 erreicht. Die Fleischmans haben uns noch einmal 10 000 Dollar vorgestreckt. Das müßte reichen, um den Bedarf der Gesellschaft Junger Deutscher Maler einen Monat lang zu decken. Aber laß uns wissen, wenn es zusätzliche Gelegenheiten gibt. Die Schweizer Miniaturen sind sehr gefragt. Beobachte den Markt aufmerksam und bereite Deine Abreise nach Zürich nach dem 1. Mai vor, sollten sich unerwartet zahlreiche Gelegenheiten auftun. Onkel Salomon wird sehr froh sein, Dich zu sehen, und ich weiß, daß Du seinem Urteil blind vertraust.

Das Wetter ist vollkommen klar, und es gibt für die nächsten zwei Monate keine konkreten Gewitterwarnungen. Bereite für Deine Studenten folgende Reproduktionen vor: van Gogh, 15 auf 103, rot; Poussin, 20 auf 90, blau und gelb; Vermeer, 11 auf 33, rot und blau.

Unsere Hoffnungen begleiten Deine neuen Unternehmungen.

Eisenstein

Galerie Eisenstein
San Francisco, Kalifornien, U.S.A.

29. Januar 1934

Herrn Martin Schulse
Schloß Rantzenburg
München, Deutschland

Lieber Martin,

Dein letzter Brief wurde versehentlich in die Geary Street Nummer 457, Raum 4, zugestellt. Tante Rheba sagt, richte Martin aus, er soll kürzer und klarer schreiben, damit seine Freunde alles verstehen, was er sagt. Ich bin sicher, alle sind auf Dein Familientreffen am 15. vorbereitet. Du wirst nach diesen vielen Festen müde sein und Deine Familie auf Deiner Reise nach Zürich mitnehmen wollen.

Bevor Du jedoch abreist, bestelle die folgenden Reproduktionen für die Zweigstellen der Gesellschaft Junger Deutscher Maler, die sich schon auf die Gemeinschaftsausstellung im Mai, oder vielleicht sogar früher, freuen: Picasso, 17 auf 81, rot; van Gogh, 5 auf 42, weiß; Rubens, 15 auf 204, blau und gelb.

Wir schließen Dich in unsere Gebete ein.

Eisenstein

Schloss Rantzenburg
München, Deutschland

12. Februar 1934

Mr. Max Eisenstein
Galerie Eisenstein
San Francisco, Kalifornien, U. S. A.

Max, mein alter Freund,

mein Gott, Max, weißt Du überhaupt, was Du anrichtest? Ich werde versuchen müssen, diesen Brief mit Hilfe eines Amerikaners, den ich hier kennengelernt habe, außer Landes zu schmuggeln. Ich schreibe diese Bitte an Dich aus einer Verzweiflung heraus, die Du Dir nicht vorstellen kannst.

Dieses verrückte Telegramm! Diese Briefe, die Du mir geschickt hast. Ich werde ihretwegen zur Rechenschaft gezogen. Die Briefe werden mir nicht zugestellt, sondern ich werde aufs Amt zitiert. Sie zeigen mir Deine Briefe und fordern, ich solle ihnen den Code geben. Einen Code? Wie kannst Du, ein langjähriger Freund, mir das antun?

Begreifst Du eigentlich, hast Du irgendeine Vorstellung davon, daß Du mich zugrunde richtest? Schon jetzt zeitigt Dein Wahnsinn schreckliche Folgen. Ich bin harsch aufgefordert worden, von meinem Amt zurückzutreten. Heinrich ist nicht mehr im Jungvolk. Sie haben ihm gesagt, es wäre nicht gut für seine Gesundheit. Gott im Himmel,

Max, weißt Du, was das bedeutet? Und Elsa, der ich nicht ein Wort davon zu sagen wage, ist bestürzt, weil die Parteimitglieder ihre Einladungen ablehnen und Baron von Freische nicht mit ihr spricht, wenn sie sich auf der Straße begegnen.

Ja, ja, ich weiß, warum Du so handelst – aber verstehst Du denn nicht, daß ich nichts machen konnte? Was hätte ich tun können? Ich habe mich nicht einmal getraut, es auch nur zu versuchen. Ich bitte Dich inständig, nicht meinethalben, aber wegen Elsa und der Kinder – denk daran, was es für sie bedeutet, wenn ich verhaftet werde und sie im ungewissen sind, ob ich lebe oder tot bin. Weißt Du, was es heißt, in ein Konzentrationslager gebracht zu werden? Willst Du, daß ich vor die Wand gestellt werde und sich die Gewehrläufe auf mich richten? Ich flehe Dich an, hör auf damit. Mach dem ein Ende, solange noch nicht alles zerstört ist. Ich fürchte um mein Leben, Max, um mein Leben.

Bist Du es, der das tut? Das kannst nicht Du sein. Ich habe Dich wie einen Bruder geliebt, mein alter Maxel. Mein Gott, hast Du kein Mitleid? Ich bitte Dich, Max, hör auf damit, hör auf damit! Beende es, solange für mich noch Aussicht auf Rettung besteht. Ich bitte Dich von ganzem Herzen und aus alter Freundschaft darum.

Martin

Galerie Eisenstein
San Francisco, Kalifornien, U.S.A.

15. Februar 1934

Herrn Martin Schulse
Schloß Rantzenburg
München, Deutschland

Martin, unser lieber Freund,

150 Millimeter Niederschlag in 18 Tagen hier. Was für eine Jahreszeit! Eine Schiffsladung mit 1500 Pinseln sollte dieses Wochenende bei der Berliner Ortsgruppe Deiner Maler eintreffen. Dadurch gewinnen sie ein wenig Zeit, um vor der großen Ausstellung noch zu üben. Amerikanische Förderer werden mit dem Malerbedarf aushelfen, der beschafft werden kann, aber Du mußt die letzten Arrangements treffen. Wir sind viel zu weit weg, um den europäischen Markt gut zu kennen, und Du wirst sehr viel besser abschätzen können, welches Maß an Unterstützung so eine Ausstellung in Deutschland erfordert. Bereite folgende Stücke für die Auslieferung am 24. März vor: Rubens, 12 auf 77, blau; Giotto, 1 auf 317, grün und weiß; Poussin, 20 auf 90, rot und weiß.

Der junge Blum ist letzten Freitag mit den Picasso-Spezifikationen abgereist. Er wird die Ölfarben in Hamburg und Leipzig deponieren und danach zu Deiner Verfügung stehen. Viel Erfolg für Dich!

Eisenstein

Galerie Eisenstein
San Francisco, Kalifornien, U.S.A.

3. März 1934

Herrn Martin Schulse
Schloß Rantzenburg
München, Deutschland

Martin, unser lieber Bruder,

Cousin Julius hat zwei Söhne, beide wiegen neun Pfund. Die Familie ist sehr glücklich. Wir glauben alle fest an den Erfolg Deiner Ausstellung junger Künstler, die bald eröffnet wird. Die letzte Schiffssendung mit Leinwänden hat sich wegen Schwierigkeiten mit dem internationalen Wechselgeschäft ein bißchen verzögert, wird die Berliner Gruppe aber rechtzeitig erreichen. Du kannst die Sammlung der Reproduktionen jetzt als komplett betrachten. Die größte Unterstützung wirst Du von den Picasso-Enthusiasten erwarten dürfen, aber vernachlässige nicht die anderen Linien.

Wir überlassen Deiner Besonnenheit alle letztgültigen Pläne, aber dringe auf einen frühestmöglichen Termin, um der Ausstellung wirklich den vollen Erfolg zu sichern.

Der Gott Mosis stehe Dir zur Seite.

Eisenstein

EISENSTEIN GALLERIES
SAN FRANCISCO, CALIFORNIA, U.S.A.

Mr. Martin Schulse
Schloss Rantzenburg
Munich

G E R M A N Y

Nachwort von

Lois Rosenthal

‹Adressat unbekannt› von Kressmann Taylor wurde erstmals 1938 in der September/Oktober-Ausgabe der New Yorker Zeitschrift *Story* veröffentlicht und erregte sogleich ungeheures Aufsehen. Schon zu diesem frühen Zeitpunkt hat der fiktive Briefwechsel zwischen einem Amerikaner, der in San Francisco lebt, und seinem früheren Geschäftspartner, der nach Deutschland zurückgekehrt ist, das zersetzende Gift des Nationalsozialismus erzählerisch dargestellt.

Whit Burnett, der Gründungsherausgeber von *Story*, berichtete, daß die gesamte Auflage dieser Ausgabe innerhalb von zehn Tagen ausverkauft gewesen sei. Begeisterte Leser hätten Kopien der Geschichte angefertigt, um sie Freunden schicken zu können. Walter Winchell rühmte ‹Adressat unbekannt› als «einen der besten Beiträge des Monats, etwas, das Sie nicht versäumen sollten». Später druckte *Reader's Digest* für seine drei Millionen Leser eine gekürzte Fassung ab. Filmproduzenten riefen in der Redaktion an. Die Anfragen nach Übersetzungsrechten häuften sich.

1939 brachte Simon & Schuster ‹Adressat unbekannt› als Buch heraus und verkaufte 50 000 Exemplare – eine enorm hohe Zahl in diesen Jahren. In einer Besprechung der *New York Times Book Review* hieß es: «Diese moderne Geschichte ist die Perfektion selbst. Sie ist die stärkste Anklage gegen den Nationalsozialismus, die man sich in der Literatur vorstellen kann.»

Die gebündelte Aufmerksamkeit der Journalisten und

Leser galt einer unbekannten Autorin – Kressmann Taylor, die von 1926 bis 1928 als Werbetexterin in einer Agentur gearbeitet und ihre Anstellung dann aufgegeben hatte, um gemeinsam mit ihrem Mann Elliott Taylor für ihre drei kleinen Kinder zu sorgen. Die Autorin erläuterte damals die Entstehung von ‹Adressat unbekannt›: Der Text basiere auf einigen tatsächlich geschriebenen Briefen, auf die sie gestoßen sei, aber erst im Gespräch mit ihrem Mann habe die Geschichte ihre endgültige Form gefunden.
In der Sommerausgabe des Jahres 1992 druckte *Story* ‹Adressat unbekannt› noch einmal ab. Angesichts der grassierenden Fremdenfeindlichkeit in vielen Ländern der Welt war die soziale Bedeutung des Buches von neuem augenfällig. Die neonazistischen Strömungen im wiedervereinten Deutschland, das erneute Aufkeimen von antisemitischen Haltungen in Osteuropa und die zunehmende Popularität der weißen Suprematisten in den Vereinigten Staaten klangen wie ein unheimliches Echo der Vergangenheit.

Wieder erregte die Geschichte außergewöhnlich lebhaftes Interesse. In den Zuschriften kam zum Ausdruck, daß eine neue Generation von Lesern von der Kraft dieses Buches eingenommen war. Andere, die die Geschichte bereits 1938 gelesen hatten, begrüßten freudig ihren Wiederabdruck.

Die zeitlose Botschaft von ‹Adressat unbekannt› wendet sich an unser moralisches Empfinden, und nicht zuletzt deshalb hat dieser Band einen Platz in jedem Bücherregal verdient.

Lois Rosenthal
Herausgeberin der Zeitschrift *Story*

Nachwort von

Elke Heidenreich

Immer, wenn ich vom millionenfachen Tod der Juden im Dritten Reich lese, immer, wenn ich die Bilder von ausgemergelten Menschen sehe, die stumm hintereinander her ins Verderben gehen, kommt mir eine Zeile aus einem Gedicht von Dylan Thomas in den Sinn. Es ist ein Gedicht über das Altwerden und das Sterben, gegen das Thomas sich auflehnt, und die Zeile lautet:

«Geh nicht so fügsam in die dunkle Nacht ...»

Geht nicht so fügsam, hätte ich verzweifelt den verzweifelten Menschen zurufen wollen, aber ich schäme mich immer sofort für diesen Gedanken – denn auf den Bildern sehe ich auch die Nazis in Uniformen und mit Waffen, und in den Büchern lese ich, wie man die Juden erniedrigt, gequält, mißhandelt, vertrieben, eingepfercht, aller Rechte beraubt und schließlich kaserniert und gemordet hat. Wer hätte sich da schon auflehnen können, was blieb denn noch anderes übrig, als fügsam in die dunkle Nacht zu gehen bei diesem akribisch geplanten Massenmord! Es käme einer Schuldzuweisung an die Opfer gleich, würde man Widerstand von ihnen erwarten wollen. Wir, die Täter, haben fügsam die dunkle Nacht mit allem Grauen erdacht, mitgetragen, gewollt, geduldet, möglich gemacht – so herum ist es richtig. Und doch bleibt der bohrende Gedanke: war denn kein Aufmucken denkbar, keine Gegenwehr möglich, waren nicht wenigstens hinterher brennender Haß und gnadenlose Rache an der Tagesordnung?

Und dann plötzlich dieses kleine Buch. Von 1938 ist die

Geschichte. Ich habe sie im Jahr 2000 gelesen und bin hier einem Juden begegnet, der sich gerächt hat, der zurückgeschlagen und einen der Mörder vernichtet hat. Und er tut das aus dem freien Land Amerika heraus, in dem er ungefährdet lebt, und nur, indem er Briefe an seinen Feind schickt. Briefe, die es in sich haben wie eine Tretmine – einmal geöffnet, gibt es kein Zurück mehr. Die Mine explodiert, der letzte Brief kommt nach vierzehn Tagen an den Absender zurück: «Adressat unbekannt.» Treffer.

Vielleicht ist es unter anderem auch das, was den ungeheuren Erfolg dieses kleinen Buches ausmacht: daß wir beim Lesen eine heimliche Erleichterung verspüren darüber, daß einer zurückgeschlagen und gewonnen hat, wie traurig, enttäuscht, verzweifelt und unter welchen Opfern auch immer. Er hat es ihm gezeigt, diesem Nazi Martin Schulse, der sein Feind ist, der das Leben seiner Schwester auf dem Gewissen hat. Und er hat es ihm so subtil und perfide gezeigt, daß nicht einmal Gewalt im Spiel sein mußte – Worte genügten. So stark sind Worte? Ja, so stark.

Aber wir müssen früher beginnen.

Denn Martin Schulse war nicht immer der Feind von Max Eisenstein. Im Gegenteil: Er war sein Geschäftspartner, sein bester Freund, der Geliebte seiner Schwester. Innigere Freundschaftsbriefe als die, die sich Max und Martin bei ihrer Trennung 1932 schreiben, lassen sich kaum denken. Der eine, Martin, geht mit seiner Frau und den Kindern nach Deutschland zurück. Der andere, Max, bleibt in Amerika und leitet die gemeinsame Kunstgalerie weiter. Der Abschied fällt beiden schwer, zumal der Jude Max seufzt: «Mir geht dein Geschick im Umgang mit den alten jüdischen Matronen ab», die doch die besten Kundinnen sind! Aber Max versteht die Rückkehr des Freundes: «Du findest ein demokratisches Deutschland vor», schreibt er am 12. November 1932, «ein Land mit einer tief verwurzelten Kultur, in dem der Geist einer wunderbaren politischen Freiheit aufzublühen beginnt.»

Es schaudert uns, solche Sätze zu lesen. Hat man das wirklich geglaubt damals? Martin antwortet, erzählt von Hindenburg, den er für einen feinsinnigen Liberalen hält. Schon im nächsten Brief vom Januar 1933 fragt Max: «Wer ist dieser Adolf Hitler, der in Deutschland augenscheinlich an die Macht strebt? Was ich über ihn lese, mag ich gar nicht.» Martin berichtet, daß Hitler eine Art «elektrischer Schock» und «gut für Deutschland» sei. Er schreibt auch von der SA, die bereits Gesichter blutig schlägt und böse antijüdische Hetze treibt, «aber diese Dinge gehen vorüber», und öffentlich äußern mag sich Martin dazu nicht, denn er hat schon einen Posten in der neuen Regierung, führt ein offenes Haus, macht Karriere. Sein neugeborenes Kind wird Adolf heißen.

Wir haben erst rund zwanzig Seiten gelesen, wir sind erst beim vierten Brief, und uns stockt schon der Atem. Was entwickelt sich da? So also war das damals – so schnell ging das mit der Anpassung? So fest schloß man die Augen vor den beginnenden Verbrechen und sagte: «Diese Dinge gehen vorüber»? Wir beginnen millionenfach angepaßtes Mitläufertum zu ahnen und fürchten zurecht um die Freundschaft zwischen Max und Martin.

Sie zerbricht in rasender Geschwindigkeit, von Brief zu Brief. In den USA der eine, der verzweifelt fragt, bittet, mahnt, in Deutschland der andere, der kühl zurückweist, schließlich feststellt, daß es ihm unmöglich sei, noch länger mit einem Juden zu korrespondieren. Das ist im Juli

1933. Und er spricht bereits nach, was er täglich liest und hört: «Die jüdische Rasse ist ein Schandfleck für jede Nation.» Er versteigt sich zu Sätzen wie «Vierzehn Jahre lang haben wir unseren Kopf unter der Schmach der Niederlage gebeugt. Wir haben das bittere Brot der Scham und die dünne Suppe der Armut gegessen.»

Wir? Martin hatte in den USA gelebt, mit dem Freund eine gutgehende Galerie geführt und an das Deutschland nach dem Ersten Weltkrieg wohl kaum gedacht. Aber jetzt heißt es allerorten WIR: «Wir reinigen unseren Blutstrom von minderwertigen Elementen.» Und dem jüdischen Freund schreibt er den ungeheuerlichen Satz: «Ihr lamentiert immer, aber ihr seid niemals tapfer genug, zurückzuschlagen. Deshalb gibt es Pogrome.»

Dreißig Seiten haben wir jetzt ungefähr gelesen. Nie war ein dramatischer Höhepunkt in einer Geschichte derart schnell erreicht, der Schock ist groß, wie soll das noch gut ausgehen?

Es geht nicht gut aus. Der Jude Max schlägt zurück, etwas, was man nicht erwartet hätte. Einmal bittet er noch um Hilfe für seine Schwester Griselle, die der «Freund» doch schließlich einst geliebt hat. Nicht nur wird die Hilfe verwehrt, die Schwester stirbt Ende 1933 durch Mitschuld Martins. Briefe an sie erhält Max mit dem Vermerk «Adressat unbekannt» zurück – hier klingt das Motiv schon einmal an. Drei Monate später kommt der letzte Brief von Max an Martin ebenfalls zurück mit dem Vermerk «Adressat unbekannt». Wie Max das schafft, werden Sie selbst lesen. Und Sie werden sich vor Ekel schütteln, als Martin nun, da es ihm an den Kragen geht, noch einmal die alte Freundschaft beschwört, die er doch zuvor so energisch aufgekündigt hatte.

Ich habe nie auf weniger Seiten ein größeres Drama gelesen. Diese Geschichte ist meisterhaft, sie ist mit unübertrefflicher Spannung gebaut, in irritierender Kürze, kein Wort zuviel, keines fehlt. Ohne Umschweife werden exemplarische Lebensgeschichten erzählt, wird Zeitgeschichte dokumentiert. Der Jude ist kein Gutmensch, der sich alles bieten läßt, sondern liefert die Mörder selbst ans Messer, Und: der Deutsche ist kein sadistischer Unhold, sondern ein angepaßter, karrierebesessener Mitläufer, ein opportunes Würstchen. Wenn es auf Leben und Tod geht, das zeigt die Autorin, dann geht es nur noch ums Überleben. Dann spielt Menschlichkeit keine Rolle mehr, auf beiden Seiten nicht.

Das alles hat eine Frau geschrieben, die niemand kennt und kannte, die nie vorher und nie nachher von sich reden machte: Kathrine Kressmann Taylor, die als Autorin sogar ihren Vornamen wegließ. Sie war Werbetexterin in New York, verheiratet, Mutter dreier Kinder, mehr wissen wir nicht von ihr. Ein paar echte Briefe soll es gegeben haben, die sie zu dieser Geschichte inspirierten. Sie veröffentlichte «Address Unknown» zuerst 1938 im New Yorker «Story Magazine» – das war das Jahr, in dem Charlie Chaplin seine Hitler-Parodie «Der große Diktator» drehte. Es ist eine Geschichte in achtzehn Briefen und einem Telegramm, und die Resonanz war enorm. Ein Nachdruck erschien kurz darauf in Reader's Digest, eine Buchausgabe hatte 1939 großen Erfolg, und dann geriet das kleine Meisterwerk in Vergessenheit, bis «Story» es im Sommer 1992 angesichts der zunehmenden Rechtsradikalität, weltweiten Fremdenfeindlichkeit und des wachsenden Antisemitismus noch einmal abdruckte. 1995 erschien es in den USA bei Simon & Schuster als Buch, bald darauf endlich auch in Europa. In Frankreich gelangte das Buch in die Bestsellerlisten, in Deutschland wurde es viel gelesen, gelobt, rezensiert, aber ich denke, eine viel größere Öffentlichkeit sollte ihm beschieden sein. Nie wurde das zersetzende Gift des Nationalsozialismus eindringlicher beschrieben. «Adressat unbekannt» sollte Schullektüre werden, Pflichtlektüre für Studenten, es sollte in den Zeitungen abgedruckt und in den Cafés diskutiert werden.

Jetzt liegt eine Taschenbuchausgabe vor. Ich würde wieder mehr Vertrauen in dieses Land haben, wenn ich diese Taschenbuchausgabe in den nächsten Monaten und Jahren aus vielen Jackentaschen ragen sähe. Ich träume von einer morgendlichen vollen U-Bahn in Berlin, in der Hunderte von Menschen Kressmann Taylor lesen, aufsehen und sich mit Blicken gegenseitig versichern: nie wieder.

Ja, das ist sentimental. Aber ich vertraue auf die Kraft von Büchern. Ich glaube, daß Millionen Deutsche Sätze formuliert und gedacht haben wie Martin Schulse. Ich glaube, daß Millionen Deutsche nicht wirklich wollten, daß Millionen von Menschen in Auschwitz, Buchenwald, Theresienstadt eingesperrt und ermordet werden würden. Aber wir heute wissen, daß es eben da endete. Wir wissen es. Und das genau macht die Dramatik dieser kleinen, starken Briefnovelle aus.

Elke Heidenreich